KB103437

내가 바라본 것들

발 행 | 2024년 07월 30일
저 자 | K.YEN
펴낸이 | 한건희
펴낸곳 | 주식회사 부크크
출판사등록 | 2014.07.15(제2014-16호)
주 소 | 서울특별시 금천구 가산디지털1로 119 SK트윈타워 A동 305호
전 화 | 1670-8316
이메일 | info@bookk.co.kr

ISBN | 979-11-410-9817-9

www.bookk.co.kr

내가 바라본 것들

: 성명여자중학교, 신명고등학교

K.YEN

매일 아침 교단에 서 있을 당신에게

‘학교’ 라는 공간에서 ‘학생’ 이라는 이름으로 하루를 시작할 때면 많은 생각이 함께합니다. 1교시부터 7교시, 매일이 비슷하게 흘러가는 듯 하지만 때때로 일어나는 행복이 기다려집니다. 아무래도 당신들의 존재 때문이겠지요. 하루의 시작을 당신의 미소와 함께할 때면 무엇이든지 할 수 있을 것만 같습니다. 당신과 눈을 마주하고 있을 때면 알게 모르게 마음이 따스해집니다. 당신과 마침인사를 건넬 때면 오늘 하루를 좀 잘 살아낸 것 같아 뿌듯하기도 합니다. 그러니 늘 당신들의 아름다움을 잊지 않길. 어떤 순간이 다가오든 늘 그 자리에 있어주기 바랍니다. 당신은 존재만으로도 우리에게 행복이 되니까요.

차례

신명고등학교

늘 그자리에

성명여자중학교

: 설렘 가득하고 순수했던 내게 사회를, 공동체를 알려준 곳이다. 성명의 선생님들은 사회의 현실을 가르치면서도 그 속에 따스함과 따뜻함이 존재한다는 것을 몸소 알려주셨다.

그래서 지금부터 그 따스함의 이야기를 꺼내보려 한다.

안녕, 성명

2021년, 여전히 바람은 우리는 김밥 마냥 검은 패딩에 휘감겨 있었다. 그 순간 나에게 처음으로 따뜻함이 찾아왔다. 여느때와 다름없이 아이들과 시답지 않은 농담을 던지며 하루를 시작했다. 중학교라는 설렘으로 가득찬 나의 마음을 부여 잡으며, 중학교라는 단어가 주는 무거움처럼 높기만 했던 언덕을 올랐다. 언덕에 발을 내딛을때면 숨이 발끝에서 부터 머리 끝까지 차오르는 기분이었다. 그렇게 다다른 언덕의 끝에서, 나는 내가 꼭 어른이 된것 같다고 느꼈다. 고작 언덕 하나 넘은 것 가지고 말이다. 드넓은 모래 운동장과 오색빛깔 페인트로 덮인

건물, 누구의 이름인지 영어 발음이 있는 그대로 적혀 있는 건물. 그 사이에 흰 팻말 하나가 눈에 띈다.

‘예비소집: 폴라드관’

아이들에게 ‘저게 어디나..’라는 말을 외치며 팻말의 끝을 따라 걸었다. 그 끝에는 수많은 아이들과 초등학교와는 사뭇다른 선생님들이 자리하고 있었다. 그들의 말을 따라 하나 둘씩 해내며 나는 또 한번 어른이 되고 있는 듯 했다. 14권의 교과서를 집어들고 언제 찢어질지 모르는 크라프트 종이 가방에 그 책들을 차곡차곡 쌓아나갔다. 아이들에게 교과서가 무겁다는 말만 연신 내뱉으며 언덕 아래를 바라보았다. 앞으로 매일 올라올 이곳.. 나는 우리 학교가 언덕에 있다는게 참 마음에 들었다. 그 언덕은 꼭 내가 남들보다 더 높은 곳에 있는 기분이 들게 했다. 언덕을 내려오기 전 학교 전경을 돌아보며 나는 홀로 외쳤다.

" 안녕, 성명."

그렇게 나의 처음이자 마지막 중학교 생활이 시작되었다.

이게 현실?

나는 중학교는 조금 다를 줄 알았다. 결과적으로 보면 다른게 맞긴하다, 부정적으로 말이다. 처음으로 내가 원하는 학교에, 내 손으로 원서를 썼다. 그래서인지 중학교는 뭐든지 내가 원하는 대로만 될거라 생각했다. 하지만 이건 큰 오산이다. 여전히 코로나 19는 학교 생활의 절반을 막고 있었다. 매일 아침 '자가진단'으로 '저는 건강합니다'를 증명해야하고, 나의 건강을 증명하지 못했다는 이유로 때로는 꾸중을 듣기도 했다. 당연히 현장체험은 상상도 못할 일이다. 얼굴의 절반을 가린 마스크로 나의 선생님도, 친구들도 제대로 알 수 없었다. 그래서인지 나는 이곳이 내가 와서는 안되는 곳이라는 생각이 들었다. 수많은 규칙들이 쏟아져 나오고, 선생님은 매 시간 바뀔때마다 나는 점점 더 학교가 무서워졌다. 아무도 내가 무엇을 해야 하는지 더이상 알려주지 않았다. 나는 누구보다 내성적인 인간이다. 요즘 MBTI로 이야하지면, 지극히 극 I인 셈이다. 그런 나에게 40분 단위로 바뀌는 선생님들은 도저히 적응할 수 없었다. 한 사람과 친해지는데 상당한 시간이 소요되기에, 나의 온 정신을 집중해 상대를 이해하려 들기에, 수업에 들어오는 모든 선생님들을 그렇게 이해하고 받아들이는 것은 나에게 가장 큰 산이었다. 1학기 내도록 어떻게 해서든 그 산을 넘어야 했다. 무슨일이 있어도 말이다.

내 꿈의 시작

2학기가 되어서야 나는 이곳에 적응하고 있는 듯 했다. 전쟁통에도 사랑은 꽃피운다더니, 그 혼란한 1학기 동안 나는 당신을 바라보고 있는 듯 했다. 마주치면 누구보다 반갑고, 당신과 인사할때면 누구보다 밝게 웃을 수 있을 것만 같았다. 당신이 내게 건네는 말이 좋았고, 당신이 보여주는 그 따스한 미소가 좋았다.

초등학교때 까지 난 영어라면 치를떨며 싫어했던 사람이다. 남의 언어를 내가 왜하냐며 말이다. 그래서 더 소중했는지도 모르겠다. 학기 초반, 교과서 본문을 써서 해석까지 써오는 것이 영어 수업의 과제였다. 그러나 영어에는 손도 안대본 나는 문법 따위는 신경도 쓰지 않은 채, 그저 생각나는 대로 마구 썼다. 그렇게 과제 검사 날이 되었고, 당신이 다가오는 발소리에 눈을 질끈 감았다.

" 열심히 해왔네, 잘했어!"

당신은 무심하게 외치며 나를 지나쳤다. 나는 그렇게 당신의 뒷모습을 바라보며 넋이 나갔다. 수업이 끝난 후, 쉬는시간 아이들의 왁자지껄한 이야기 소리에도 난 여전히 그 속에서 헤어나오지못하고 있었다. ' 나 방금 칭찬받은거야?' 라고 홀로 수십번이고 더 되내었다. 그러던 중 한 아이가 물었다.

"너 왜 혼자 그렇게 실실 웃냐, 나도 같이 재밌으면 안되냐..ㅋㅋㅋ"

그 칭찬이 쑥스러우면서도 내심 좋았던 걸까. 내 입가에는 나도 모르게 미소가 피어나고 있었다. 그 후로 나에게 영어 시간은 손꼽아 기다리는 날들 중 하나가 되었다. 더욱이, 지나가다 당신과 마주할때면 그 설렘에 나도 모르게 숨곤했다. 그렇게 나는 선생님을 좋아하기 시작했다.

나에게 선생님의 말은 참으로도 따뜻했다. 잘했다는 한마디가 나를 이렇게나 변화시킬줄은 나도 몰랐다. 살면서 처음으로 영어 문제집을 손에 쥔 채 나에게 말했다.

" 맞아, 너 할 수 있어"

당신의 한 마디는 13년 동안 갇혀있던 나를 밖으로 꺼냈다. 도전조차 하지 않고 실패할 것이라 외치던 아이에게 넌 이미 성공했다는 말을 던진 것이다. 어쩌다 스쳐지나간 말이 나에게 커다란 동기가 되어 다가왔고, 그 이후로 나는 나의 삶을 꿈꿀 수 있었다. 도전이라는 불완전한 단어에 나는 그저 당신을 믿은 채 내 온 마음을 던졌다. 마음을 다해서인지, 당신의 수없는 노력이었는지 나는 여전히 알지 못한다. 그러나 나는 1달만에 영어를 좀 하는 사람이 되었다. 영어를 할 수 있다는 것보다 나를 기쁘게 한것은 이제 내가 선생님의 마음에 조금은 더 다가갈 수 있을 것 같다는 기분이었다.

나는 당신이 참 좋다. 왜인지 모르게 그 단호한 말 속에 숨겨진 따뜻함이 좋다. 말은 무기가 된다라고 이야기하던 어른들은 이제서야 이해할 수 있었다. '할 수 있다'라는 말, 친구에서 부모님에게 수많은 사람들로부터 들었다. 그러나 당신이라는 존재가 건네는 '할 수 있다'는 조금 달랐다. 아무것도 아닌 내가 진짜 무엇이든 할 수 있게 만들었다. 나는 그런 당신의 존재가 좋았다. 그래서 나는 당신처럼 되기로 다짐했다.

" 쌤, 저 선생님처럼 되고 싶어요! 저도 영어 교사 할래요."

당신 곁에 서서 외쳤다. 절대 그 꿈을 버릴 수 없도록 말이다. 당신에게는 의미없는 말일지라도 나에게는 희망이고 기적이었던 것처럼, 나도 그런 순간을 만들고 싶었다. 내 말에 누군가가 ‘도전’하고 ‘기뻐’하는 순간을….

원하지 않는 '안녕'

당신과의 설렘이 영원할 것 만 같았다. 내가 당신을 좋아한다는 사실이 변하지 않는다면 당신이 늘 내 곁에 있을거라 생각했다. 하지만 언제나 그렇듯 현실은 다르다. 여느 날과 다르지 않는 방학이었다. 꽤 긴 겨울방학이었기에 나는 개학을 기다리고 있었다.

'카톡'

OOO선생님 이라는 이름이 가장 먼저 눈에 들어왔다. 늘 내가 먼저 연락했기에 나로서는 의외인 일이었다. 그 보다도 내가 좋아하는 사람이 먼저 연락해주었다는 사실에 한 없이 기뻤다. 그 기쁨도 잠시, 장문의 내용을 읽으며 나의 눈시울은 붉어져만 갔다.

" 늘 선생님을 따뜻하게 바라보던 예은이라 이렇게 따로 얘기해주고 싶더라❤(...) 앞으로도 지치지 않고 더 나아갈 울 구예은의 앞날을 정말로 마음 깊이 응원할게"

 나에게 가장 먼저 이 사실을 알려주었다는 것이 고맙기도 했지만, 그 순간 나에게는 아픔의 크기가 더 컸다. 그 후로 난 당신을 한 번도 보지 못했다. 주변 선생님들을 통해 들리는 간간한 소식을 제외하고는 그 누구에게서도 당신에 대한 이야기를 듣지 못했다.

정교사와 기간제 교사, 이럴때면 또 다시 생각나는 단어들이다. 대학을 더 잘 나와서, 수업을 더 잘해서, 학생에게 더 많은 것을 줄 수 있어서. 그 어떠한 것도 정교사와 기간제를 나누는 기준이 되지 못한다. 그러나 사회라는 현실은 '어쩔수 없다'라는 말을 내세워 우리 삶을 나누고 있다. 물론 학교 입장에서는 다른 선생님들의 공백을 채우기 위해 고용하는 것이기에 미래를 약속할 수 없는 것은 당연하다. 그러나 난 여전히 이러한 현실을 마주하고 싶지 않다. 선생님이 언제 떠날지, 이 곳에 얼마나 있을지 생각하며 이번에는 내 마음을 모두 주지 않겠다고 생각하는 내가 참으로 한심할 뿐이다. 내가 상처받고 싶지 않아서 내가 좋아하는 이 앞에서도 아무것도 하지 않는다니 얼마나 가치 없는 행동인가 생각한다. 내가 온 마음을 다 바쳐 사랑했던 이를 떠나보낼때의 허망과 슬픔으로 가득찬 그 마음이 학교에도 존재한다. 그래서 난 매 학기, 매 학년 마지막에 건네는 '안녕'을 미워하는 중이다. 아니, 한 평생 좋아하지 않을 생각이다.

어른

때때로 누군가를 보고 있으면 어른스럽다라는 말이 떠오르는 순간이 생긴다. 이미 어른이 이들에게 어른스럽다고 이야하기는 것이 이해하기 어려울지도 모르겠다. 나에게 어른의 의미는 흔히 쓰이는 어른과는 조금 다르다고 느낀다. 그저 성장의 끝이 아니라, 마음의 여유가 있는 것이라고나 할까.

한창 학기를 시작하느라 바쁜 날들의 연속이었다. 대의원 선거가 한창이고, 여러장의 통신문을 나누며 오늘도 바쁨의 연장선에 있었다. 하루는 끝을 향해 달려가고 있었고, 마지막 교시는 학급 대의원 선거가 예정되어 있었다. 늘 그랬듯 나는 또 그자리에 올랐고, 그 해에도 '반장'이라는 이름으로 1년을 시작했다. 학교는 예정보다 일찍 하루를 끝마쳤고, 모두가 떠난 교실에 홀로 남아 아이들의 빈 자리를 그저 바라보고 있었다. 그 순간, 내 마음에선 나도 모르는 일들이 일어나고 있었다.

'할 수 있을까,, 저들이 나를 뽑은 이유를 증명해낼 수 있을까..'

마음 속의 외침과 함께 내 머리는 하얀 도화지가 되었고, 손등에는 차갑게 식은 따뜻함이 떨어졌다. 저 멀리에는 그런 나를 바라보는 당신이 있었다. 당신에게서 처음 본 눈빛이었다. 동정도, 안타까움도 아닌 그저 내 모습을 보고 있는 듯한 느낌을 주었다. 당신이 말했다.

'넌 잘할거야,, 내가 본 너는 그런 아이니까…

꼭 누구에게 완벽하지 않아도 된다고,, 그러니 그냥 너답게 해내라!"

이 말을 건네는 당신의 목소리에는 왜인지 모를 강인함이 있었다. 그리고 그 마음에는 자신의 일보다 아이들의 아픔에 나눠줄 여유가 있는 사람이라 느꼈다. 자신이 모두 걸어온 길이기에 확신하며 할 수 있는 그런 말. 그저 위로를 위한 것이 아닌 당연하게 하는 그런 말. 당신의 말에서 삶의 지혜가 묻어나올 때면, 난 당신이 '참 좋은 어른'이라 느낀다. 그런 당신을 보고 있을때면 교사이기 이전에 한 명의 어른으로서 내 앞에 나타나 준 것에 감사한다.

'나에게 '좋은 어른'이 되어주어 고맙습니다.'

오로라

오로라는 태양에서 불어오는 바람이 지구 대기의 공기와 충돌하며 아름다운 빛을 낸다. 오로라의 색은 대기 중의 기체 분자의 종류에 따라 달라지며 색과 형태, 밝기가 시시각각 바뀌어 움직이고 있다는 느낌을 주기도 한다. 아름다운 오로라는 극지방에서 나타나 신비로움과 전설적인 느낌을 가지고 있기도 하다. 그래서 당신을 보고 있을때면 '오로라'가 그려진다.

한 학년을 수업하게되면 각양각색의 다양함을 가진 아이들과 마주한다. 중학교 정도 된 아이들은 모두 자신만의 세계를 통해 세상을 살아간다. 그리고 그 세상은 '교사'의 세상과 거리가 있을때도 많다. 그래서 때로는 '교사'와 '학생'이 서로를 이해하는데 어려움을 겪기도 한다. 그러나 당신은 조금 다른 듯 했다. 당신도 남들과 다름없이 당신을 증명하는 세상을 가지고 있었다. 그 세계는 세상에 나와, 당신의 내면을 우리에게 전했다. 당신이 아이들과 함께할때면 그 세계는 우리와 대립을 이루며 존재하기도 했다. 하지만 당신과의 대립은 아름다움을 만들었다. 꼭 오로라같이. 당신과 우리가 부딪히며 내는 에너지는 아름다움의 빛과 같았고, 당신이 누구와 부딪히는지에 따라 그 아름다움의 종류가 달랐다.

당신과 내가 만들어낸 아름다움은 어둡지만 따뜻했다. 당신과 저들이 만들어낸 아름다움은 뜨겁고 화려했다. 그렇게 당신은 우리를 한 명 한 명 마주하는 중이었다. 나도 모르는 나를 찾아, 나에 맞는 모습으로 나를 바라보면서. '그냥 공감쯤 해주면 되지 않나' 라고 생각할지도 모르지만, 남을 빛내기 위해 나의 모습을 바꾸는 것은 그들이 가진 진심어린 사랑만이 가능하게 한다. 그런 당신을 알아갈때면, 나는 우리의 모습을 다시 바라본다.

우리 둘은 밝고 에너지가 넘치는, 누구든 좋은 사람이라고 이야기 할 만큼 긍정적인 사람이 아니었다. 그저 자신이 맡은 일에 최선을 다하고, 매사에 진지함을 가지고 살아가는 사람이었다. 그런 우리의 만남은 당연하게도 어둠만이 남았다. 하지만 각자가 마음에 품고 있던 따스함 만큼은 어둡지 않았다. 서로의 마음 속에서 은은히 빛을 내고 있는 중이었다. 그냥 그렇게 서로를 느끼고 있었다. 어떠한 말과 행동도 필요하지 않았다. 그저 존재만으로 서로에게 힘이되었다. 그래서 난 그런 당신이 좋았다.

진정한 '나'

나는 그날 당신을 만나고 수면위로 드러났다. 남들과 친해지기 위해서 '내가 상대를 모두 안다'고 여길때까지 한마디도 먼저 하지 못했다. 늘 내가 알고 지내던 아이들과 함께했으며, 무엇을 대표하고 나서는 것은 내 인생에 없는 일이었다. 그리고 그렇게 1년을 살았다. 당신을 만나기 전까지. 당신을 만난 나는 첫날부터 당신에게 이끌려 이런 저런 일을 했다. 그런 나를 보는 아이들은 눈빛은 여전히 두려움이었다. 그저 스처지나가는 눈빛에 괜한 눈치를 보며 말이다. 그렇게 불편한 하루가 끝나갈때쯤, 당신은 아무렇지 않게 아주 거대한 돌을 던졌다. 당연하다는 듯 나를 바라보며 물었다.

“ 반장 할거지!?”

아마 대답은 정해져 있었을 거다.

“....네”

저 순간 난 영혼이라고는 하나도 없이 ‘네’라고 답했다. 벙찐 채로 집에 가는 내내 생각했다. 미쳤다고 거기서 긍정의 대답을 하다니. 하지만 다음날에도, 그 다음날에도 난 그 말에 부인하지 않았다. 아니 못한건지도 모른다. 당신은 나에게 그럴 틈조차 주지 않았으니까.

나는 그런 당신이 내심 고마웠다. 학급 선거는 코앞으로 다가왔고, 나는 오랜만에 모두의 집중을 받았다. 그렇게 '반장'이 되었다.

삶을 살다보면 내가 해보지 않은 일에 괜스레 걱정이 앞서는 경우가 많다. 우리는 늘 도전이라는 말이 주는 두려움을 피하려 이리저리 도망치며, 작은 실패에 인생이 무너진 듯 좌절한다. 늘 누군가의 기대에 부흥하는 사람이었고, 그러지 못하면 좋은 어른이 되지 못한다고 생각했다. 그들의 기대를 충족시키기 위해서는 '안정감'을 선택해야했다. 하지만 당신은 나를 '안정'이라는 말과 멀어지게 했다. 자신이 가진 안정감으로 내가 조금 불완전해도 괜찮다고 말했다. 당신의 완전함은 나를 불완전하게 만들었다. 그렇게 나는 완전해지고 있었다.

함께한다는 것

3년, 서로를 알아가기에 충분한 시간일까. 각자의 길을 걸어 온 160명가까이 되는 아이들, 성격도 취향도 어느하나 같은 것은 없었다. 그래서인지 우리의 1학년은 정말 사건사고와 각종 행사로 다사다난한 한 해였다. 그렇지만 그 과정속에서 서로에게 한 걸음 더 다가가기도하고, 내가 어떤 사람과 더 잘 맞는지 찾아갈 수 있었다. 한 번의 성장을 거친 2학년의 우리들은 '아픔'과 '슬픔'을 함께 이겨내는 법을 배웠다. 서로를 바라보며, 너는 이런아이구나 나는 이런 사람이야 하고 알려주었다. 내가 너를, 네가 나를 잡고 우리는 또 한걸음 높은 곳을 향해 올라갔다. 이제는 안다. 서로가 어떤 성격을 가지고 삶을 어떻게 살아가는지. 우리는 서로에게서 조금 멀어져 보기로 했다. 서로를 너무 잘 알기에, 더 쉽게 아프게하고 기쁘게 하니까. 그렇게 우리는 가까워지고 멀어지기를 반복했다. 그러다 적당한 거리를 찾았고, 그 거리를 유지하며 3년을 마무리 했다.

사람들과 공존한다는 것은 알게모르게 나에게 영향을 미친다. 함께하며 서로를 알아가고, 서로를 위해 조금은 멀어지고 우리는 공존을 통해 한 명의 인간으로서 성장한다. 우리는 한 명의 사람이 되고자 매일 학교에 출근도장을 찍었다.

안녕, 성명

'안녕'이라는 말은 참 많은 의미를 담은 것 같다. 우리는 만남에도, 헤어짐에도 '안녕'이란 말과 함께한다. 오늘은 나는 3년전 만남의 안녕을 외쳤던 이곳에서 헤어짐의 안녕을 건네고 있다. 모두들 중학교는 다르다고 이야기했지만, 다 지난 후에 돌아본 이곳은 그다지 다르지도 않은 것 같다. 어쩌면 다름을 느낄 새도 없이, 3년이라는 시간이 너무 빨랐는지도 모른다. 매 학기, 매년 변하는 당신들과 함께 나 또한 많은 것이 바뀌었다. 그저 사람이 좋았던 아이는 내 사람을 조금 더 챙길 줄 아는 사람이 되었으며, 늘 시키는 것만 해내던 수동적인 아이는 시키지도 않은 일까지 하는 능동의 주체가 되었다. 사람은 변하지 않는다고 이야기하지만 아이는 다르다. 누군가가 하는 한 마디의 말로, 따스함이 담긴 조용한 미소로 아이는 매 순간, 매 시간 마다 변한다. 나는 그걸 '성장'이라고 이야기하기로 했다. 그리고 성장을 향한 길에는 늘 당신들이 서 있다. 작은 빛들이 모여 세상을 밝히는 반딧불처럼 당신은 자신의 빛을 가지고 매번 우리를 비춰준다. 그리고는 사라진다. 하지만 당신들의 빛이 하나 둘 모여 비로소 우리는 햇살가득한 삶을 살아갈 수 있게된다. 누가 뭐래도, 선생님만큼 아이들을 빛나게 하는 존재는 없다.

신명고등학교

: 고등학교란 정말 사회와 맞다은 공간이라는 것을 다시 한번

느끼게 해주었다. 성명에서 만큼의 포근함과 순수함은 없지만

그럼에도 이 곳은 나름의 소중함이 있다.

안녕, 신명

2024.3

졸업이라는 말이 무심하게도 나는 다시 이곳으로 돌아왔다. 햇살과 함께 다채로움을 빛내는 건물이며, 길의 중간에 다다를때쯤 피어있는 새빨간 장미, 아무것도 변하지 않았다고 이야기했지만, 나를 제외하고는 모두 그 자리에 있었다. 영원할 줄 알았던 성명에 난 더이상 존재하지 않았다. 성명은 나에게만 존재했다. 그리고 아무렇지 않은듯 평소와 다름없이 살아가는 당신을 보며 내가 더 이상 그들에게 존재하지 않음을 느꼈다. 나에게 첫 신명은 성명을 잊지못한 미련함으로 가득했다. 그래서 인지 나에게 행복은 없었다.

2024.7

하지만 지금의 신명은 조금 다르다. 난 신명에서 성명을 찾았고, 이제 그 성명은 신명이 되었다. 아마도 나에게 필요했던 것은 나의 존재가 의미있다는 사실이었던 것 같다. 당신들에게 '행복'과 '희망'을 줄 수 있다는 것 하나로 3년을 살아왔는데, 이곳에 오며 내가 3년동안 이룬 모든 게 사라지는 느낌이었다. 그치만 나의 걱정과 달리 나의 3년을 알아봐주는 당신들이 있었다. 나는 이제 남은 3년을 당신에게 쓰겠다고 다짐했고, 그렇게 또 다시 당신에게 의미있는 사람이 되어보려한다.

나 홀로 '덕질' 중

"좋아하면, 사랑하면 안돼요?"

수많은 선생님을 거쳐오며 나는 때때로 생각한다. 선생님을 좋아하지만, 선생님에게 부담이 될까 늘 고민하고 또 고민한다. 하지만 작은 선물에도 어느때보다 행복해하는 모습을 볼때면 여태껏 해온 고민들은 모두 사그라든다. 작은 간식을 손에 쥐어주며, 활동지 마지막에 사랑한다는 말을 새겨넣으며 나는 나의 사랑을 당신에게 전한다.

시험이 몇주 남지 않은 시기인 듯 하다. 여러 아이들이 정독실에 모여 각자의 할일을 찾고 있었다. 야간자율학습이 시작되기 몇분 전 나는 작은 과자 한 봉지를 감독실 탁상 위에 올려두었다. 나태주 시인의 시와 함께.

“ 오늘 받은 선물 가운데서도

가장 아름다운 선물은

당신입니다 ”

가장 아름다운 선물, 나에게 선물은 선생님이다. 어떠한 순간이든 우리에게 헌신하는 모습이 누구보다 아름다운 존재들이다. 교사의 의무라고 이야기할지도 모르지만 아이들을 한명 한명 챙기는 일은 생각보다 큰 관심과 애정을 필요로한다. 그래서인지 나는 그런 당신들을 사랑한다. 우리들의 말로 이야기하자면 ‘덕질’한다.

연예인을 보고 열광하는 아이들을 볼때면 이해하지 못했던 것도 사실이다. 하지만 어느 순간부터 나는 그럴 수 없게 되었다. 내 표정과 행동, 말투 어느하나 아이들과 다르지 않았다. 단지 그 대상이 연예인이 아닌 선생님이었을 뿐이다.

어쩌면, 학교라는 사회에서 교사라는 존재는 연예인이 맞을지도 모른다. 전교생 모두에게 알려져있으며, 때로는 교사마다 인지도나 인기가 다르기도하다. 연예인 다음으로 가장 많은 관심과 사랑을 받는 직업을 찾으라 한다면 단언코 교사일 것이다. 그래서 때로는 '미안함'이 앞서기도 한다. 작은 일과 행동에도 모두가 곧바로 반응을 보이기에, 자신이 하는 모든 일을 신경 써야 한다는 것. 자신을 숨기기 위해 또 다른 나를 만드는 모습을 보고 있으면 교사에 대한 도덕적 기대는 뭐이리 높은가 싶다. 학생을 가르친다고 해서 꼭 도덕덕이고 완벽해야하는가. 그러는 자식을 키우는 부모들은 완벽하고 도덕적인가. 자신들도 할 수 없는 것을 왜 남에게는 당연하게 요구하는지는 늘 의문으로 남는다.

그래서 나 만큼은 당신들의 순수함과 따뜻함만을 바라보고 싶었다. 사회적인 지위와 인식이 어떠한지, 얼마나 도덕적인지에 대해서는 그다지 중요하지않다. 그러나 아이처럼 밝게 웃는 모습이 주는 따스함과 작은 일에도 행복해하는 순수함이 내가 당신을 좋아하는 이유다. 나는 당신이 얼마나 잘난 사람인가보다 얼마나 어여쁜 사람인지가 더 중요하다. 그러니 오래 동안 그 아름다움을 지켜내길 소망한다. 그 곁에서 언제나 응원하고 있을테니..

남겨두고 싶은 질문

늘 스쳐지나가기만 했다. 초록이 싹을 피우는 순간에도, 붉은 장미가 울타리를 둘러싸는 순간에도, 여름 빛이 내리쬐는 순간에도. 난 늘 당신을 바라만 보았다. 당신이 내 이름을 부르기 전까지 말이다.

6시간의 수업에 지칠대로 지쳐버린 아이들이 교실에 이리저리 엎어져 있었다. 이대로 하루가 끝나길 바라는 아이들의 마음과 다르게 종이 울렸다. 그렇게 몇분 뒤, 당신은 숨길 수 없는 에너지와 함께 우리에게 다가왔다. 그러고서는 말했다.

“ 이 반 반장이, 너지. 구예은.”

그 순간 나의 모든 것이 멈춰버렸다. 그렇게 당신은 내게로 들어왔다. 나의 마음과는 달리 다가가지 못할거라 생각했지만, 당신은 생각과 달리 따스한 미소가 있었다.

당신의 목소리는 어느 곳에서든 당신이다. 그 고유한 목소리는 단단함과 차가움을 가지고 있다. 그러나 고개를 들어 당신과 눈을 마주할때면 차가움을 모두 녹여버릴 빛을 느낀다. 내가 당신에게 끌린 이유는 나도 모른다. 당신이 맡은 일이 ‘윤리’, ‘도덕’, ‘철학’처럼 삶을 고뇌하는 것이라서 인지 아니면 그저 당신에게서 피어난 미소라는 꽃이 좋았던 건지. 그러나 지금 내가 알 수 있는 것은 하나다. 당신과 오래 함께하고 싶다는 것. 당신에게서 피어난 아름다움의 근원지가 나었으면 좋겠다는 것이다. 그래서 늘 다짐한다. 오늘은 물어봐야지. 그러나 오늘도 묻지 못한다. 아니 묻지 않는다. 또 혼자 마음 속으로 외쳐본다.

“윤리랑 도덕은 차이점이 뭐예요..?””

이 질문을 핑계삼아, 당신의 얼굴을 한 번 더 마주할 수 있길, 당신과 한번더 미소로 인사할 수 있길 소원 한다. 그렇게 난 오늘도 당신을 보고싶다.

교사, 教師

성명 출신이어서였는지 당신은 첫날부터 나에게 관심을 주었다. 누구도 신경쓰지 않을 사소한 부분까지 챙기며 늘 먼저 인사를 건네주었다. 처음에는 그런 당신이 의아하기도 했다. 입학 한지 1달도 안된 이 신입생을 얼마나 알고있다고, 그렇게나 잘해주는지 나는 이해할 수 없었다. 어떤 날에는 먼저 안부를 묻고, 또 다른 날에는 손에 간식을 쥐어주며, 당신은 1학기 내도록 나에게 '친절'과 '사랑'을 베풀었다. 나는 그 이유 모를 관심이 나름 좋았다.

그 날도 당신이 주는 관심을 받으며, 당신 곁에 앉았다. 당신은 당신의 삶을 그리고 사회를 내게 내어주었다. 그 길을 직접 걸어보지 않으면 알 수 없는 것들을 나에게 건넸다. 자신을 내어 내가 경험할 수 없는 그 순간의 슬기를 베풀었다. 그렇게 담담히 자신을 이야기하는 당신을 보며 나는 생각했다.

' 저런게, 진정한 교사라는 걸까..'

나는 당신과 함께하는 동안 나를 계속해서 돌아봐야했다. 내가 꿈꾸는 교사가 무엇인지, 아이들에게 전해주고 싶은 것이 무엇인지, 그리고 어떤 사람이 되고자 하는지 나는 쉼없이 나에게 질문을 던져야 했다. 그리고 그 질문에 대답하며 그런 사람이 되어갔다.

세상에서 누군가에게 스승이 되는 일만큼 어려운 일은 없을 것이다. 자신의 경험을 조금만 이야기해도 '꼰대'라고 외면하기

바쁘고, 자신의 이야기가 아니면 들으려하지 않기에 한 사람에게 의미있는 존재가 된다는 것은 쉬운일이 아니다. 그러나 나는 늘 그 어려움과 맞서는 사람들을 마주한다. 자신의 직업이라는 당연한 이유도 있지만, 아이들을 성장시키겠다는 자신만의 목표를 가지고 살아가는 사람들이 있다. 그들은 한 해가 시작되는 3월 아이들에게 자신을 이야기한다. 그리고 1년 동안 자신의 방식으로 따뜻함을 건넨다. 하지만 야속하게도 그 아이들은 1년이 끝남과 함께 사라진다. 그럼에도 그들은 수십 번이고 그 일을 반복하며, 한 사람의 스승이 되었다. 당신은 유한함을 알고도 늘 우리에게 최선을 늘 우리에게 최선을 다한다. 그래서인지 나의 '성장'은 당신의 존재없이는 쓸 수 없는 말이다.

제자, 弟子

나는 내 이름보다도 누군가의 제자로 불리는 것이 더 좋다. 누군가의 제자로 불릴때면 왜인지 내가 그 사람의 능력을, 성과를, 존재를 증명하고 있는 느낌이다. 그래서 제자라는 이름으로 불릴때면 '구예은'이라는 이름으로 불리는 순간보다 더 완벽하려 노력한다.

교단에 나와 우리와 마주하는 수많은 교사들은 저마다의 방식으로 아이들에게 최선을 다한다. 그런 모습을 볼때면 최선의 결과를 누가 알아주는가에대해 고민하게 된다. 아무리 큰 노력이라도 눈으로 보이지 않기에 그 아름다움을 증명하기 어려운 것이다. 그래서 내가 선택한 방법은 누군가의 제자로 불리는 것이다. 내가 당신의 제자로 불린다면 나의 모습과 행동으로 당신의 노력을 증명해낼 수 있을 것만 같다. 시험 성적이 잘 나올때면 당신이 그만큼 잘 가르쳤을 것이고, 모두가 좋아하는 센스는 평고 당신이 나에게 보여주었던 행동이었을테니. 난 나의 모습으로 당신이 얼마나 좋은 사람인지 이야기한다. 내가 당신에게 배운 혜안으로 당신이 얼마나 따뜻하고, 소중한 사람인지 증명하고 싶다. 누군가가 나를 OO의 제자라 부른다면, 나는 나를 대하던 당신을 떠올리며 당신이 주었던 매너, 예의, 존중을 나에게 불러온다. 그리고 그렇게 당신의 모습을 하고 남들을 마주한다. 왜 남의 모습으로 살아가냐고 이야기할지도 모르지만, 지금 나에게는 당신의 노력이, 희생이 더욱 소중하기에 오늘도 당신이 존경받아 마땅한 사람이라는 것을 알려주려 최선을 다하는 중이다.

' 나는 (   ) 선생님의 제자입니다.'

유효기간

유효하다: 보람이나 효과가 있다.

흔히 사랑에 유효기간이 있다고 말한다. 아무리 열렬한 사랑일지라도 언젠가는 끝을 마주한다는 것이다. 나에게 '교사'는 존경과 동시에 사랑의 대상이다. 그래서인지 그들을 사랑할때면 생각해보게된다. 내가 언제까지 그들의 제자일 수 있을지.

이 생각은 과거로 부터 비롯된 것이다. 나는 초등학교, 중학교, 고등학교를 살아가며 친구보다 더 많은 선생님들을 만났다. 그런 선생님이 좋았던 나는 매년 마음에 한마디를 새겼다. 난 영원히 선생님의 제자로 남을래요. 그러나 그 다짐은 늘 유효하지 못했다. 특히, 순수함이 남아있던 어린시절엔 더더욱. 난 9년 동안 매년 했던 다짐을 이제서야 조금 실현하고 있는 듯하다. 이제서야 정말 내게 필요한 사람을 사랑하고 오랫동안 마주할 준비가 되었다. 현재를 살아갈때면, 우리는 과거를 잊어버리기에 과거에 맺었던 나의 관계들은 사라져만 간다. 그 순간 그토록 온 마음을 내다바쳤지만, 그 곳에서 멀어지면 서로는 모르는 사람이 된다. 그렇기에 당신이 너무 좋은 날이면 시간이 조금은 더디게 흘러가길 바란다. 나는 나도 모르는 사이 마지막이 없는 사이를 바라고 있다. 그 끝에 남는 감정이 사랑일지, 존경일지 나는 알지 못한다. 하지만 서로를 잊지않고 살아간다는 것, 행복의 순간에 서로가 있다는 것은 분명하다. 난 우리가 서로에게 오래 남아있었으면 좋겠다. 함께하는 모습과 형태가 바뀌더라도, 오랫동안 서로에게 깊이 새겨 졌으면 좋겠다.

그렇게 나는 오늘도 당신과의 미래를 꿈꾼다.

순수함

우리는 모두 순수하다. 사회를 한번이라도 경험한 사람이라면 이 말을 비판할지도 모른다. 하지만 자신이 좋아하는 애니메이션 캐릭터 이름을 꿰뚫고 있는 아이처럼, 지나가는 자동차를 보며 신이나 방방 뛰는 아이처럼 우리의 마음 속에는 여전히 순수함이 남아있다. 난 오늘도 순수한 수많은 사람들을 마주한다. 한 아이가 던진 질문에 매료되어 고뇌에 빠지고, 남은 수업시간에 '화학결합'을 설명하는 눈을 반짝이는 당신. 당신들은 나의 생각보다 더 순수한 존재들이다. 아이들의 순수함과는 다른 어른만의 순수함을 나는 느낀다. 수업이 생각보다 일찍 끝난 그날, 선생님의 강연이 시작되었다.

"자 봐봐.."

그렇게 선생님은 쉬는 시간 종인 친 것도 모른체 자신의 말을 이어나갔다. 이걸 알아야한다며 헌법 조항을 술술 이야기하는 당신을 보며 나는 나도 모르는 미소를 지었다. 좋아하는 일에 대해 이야기할때 아이보다 더한 열정을 가지고 임하는 모습, 남들이 뭐라건 자신만의 생각과 마음을 잃지 않는 모습. 아이들의 순수함은 아무것도 모르는 것에서 부터 비롯된다면, 어른의 순수함은 많은 것을 알고 사랑할 수 있기에 생겨난다.

좋아하는 것에 최선을 다하고, 삶을 행복으로 채우려는 마음, 그것은 분명하게도 순수함일 것이다. 그리고 그 순수함으로 이루어진 당신들을 좋아한다. 모두가 사랑하는 아이들의 순수함과는 사뭇 다르지만, 당신들이 가진 순수함을 볼때면 나도 모르게 웃음이 새어나온다. 당신들의 순수함이 너무나도 아름답고 예뻐서. 그러니 오래동안 그 순수함만큼은 잃지 말아주었으면 좋겠다.

음운변동

음운변동은 나에게 늘 어려움이다. 벌써 3번째 마주하는 문법이지만, 국어를 사랑하는 나에게도 때로는 버겁게 느껴진다. 그 이유를 묻는다면 음운변동은 꼭 삶과 같으니까.

당신은 내 앞에 나타남과 동시에 내 삶에 들어왔다. 당신은 나에게 늘 새롭게 다가왔고 여태껏 배운적 없는 것들은 나에게 내어주었다. 그렇게 나에게 당신은 '첨가'되었다.

그리고 당신이 가져다준 새로움은 나의 생각을 거침없이 바꾸었다. 내가 지금껏 해왔던 생각들은 '탈락'되었고, 나의 현재는 새롭게 '교체'되었다. 당신은 나를 성장으로 이끌었고 과거의 나는 추억이라는 이름으로 '축약'되었다. 나의 여섯달은 음운변동이었다.

사랑은 피동

피동은 '주어가 다른 사람이나 사물에 의하여 움직이는 동사의 성질'이라고 정의되는 문법 개념 중 하나이다. 고1, 11종 교과서에 모두 포함되는 문법이기에, 우리 또한 피동과 사동을 함께 배웠다. 나는 당신에게 피동을 배웠다.

' 피동주: 행위를 당하는 주체.'

' 능동주: 행위를 하는 주체.'

그리고 당신은 내 삶에 능동주였다. 내 삶의 주체는 '나' 여야하는게 맞지만 당신을 볼때면 나는 그저 문장 속 피동주일 뿐이었다. 이유는 없다. 그냥 당신에게 만큼은 그렇게 끌려다니고 살었다.

소유하는게 아니라면서요

'남자:모두 빌린 것들뿐이었지요. 저기 두둥실 떠 있는 달님도, 저 은빛의 구름도, 이 하늬바람도, 그리고 어쩌면 여기 있는 나마저도, 또 당신마저도 (미소를 짓고) 잠시 빌린 겁니다.'

문학으로 삶을 배운다는 말은 이럴때 쓰는 건가보다. 결혼이라는 희곡을 수업 시간에 처음 본건 아니었다. 국어조차 선행을 해야 마음이 편한 나이기에 이미 내용과 주제정도는 외우고 있었다. 하지만 올해들어 수업에서 문학을 마주할때면 나의 선행은 늘 쓸모없어졌다. 당신은 이 글의 주제가 무엇인지, 어떤 표

현법이 쓰였는지보다 내가 무슨 생각을 하는지 먼저 물어보았다. 나는 그런 당신이 좋았다. 나의 생각을 이야길 할 수 있다는 사실이 좋았으니까. 특히 '사랑'의 의미처럼 문학 속에서 철학적 의문을 이야기하고 있을때면 내심 즐거웠던 나였다. 그래서 난 늘 당신이 수업을 하기도 전에 당신이 물은 질문에 대답하고 있었다. 사랑을 소유할 수 있냐는 말에 나는 답했다.

' 하고 싶지만 할 수 없는 것, 사랑은 가지는 것이 아니라 주는 것이기에 상대의 마음을 내가 가지는 것이 아닌 내 마음이 상대에게 빼앗기는 것이 사랑이기에.'

그리고 내 머리 속에는 대답과 동시에 당신이 떠올랐다. 늘 이런 아름다움을 느낄 수 있게 해주는 당신을 난 좋아하니까. 세상 모든 건 빌린 것이기에 소중히 해야한다는 희곡의 주제처럼 그렇게 남자가 되어 당신을 조금 더 소중한 존재로 여기고 싶었다.

수행평가는 구술입니다

구술 평가는 교육청의 교육 목표가 바뀌고 난 후로 계속해서 해온 평가 방식이다. 하지만 우리 학교에서 국어 수행평가는 늘 논술이었다. 한 시간은 개요를 짜고, 남은 한 시간은 글을 완성하는 평가를 3년 내내 했다. 우리는 3년 내도록 같은 선생님에게서 국어를 배워왔기에 평가 또한 3년 동안 동일했다. 그래서인지 고등학교의 평가 방식은 적응해야 할게 산더미였다. 서술형의 유형도, 문제 구성 방식도 모든 것에 익숙해져야 했다. 수행평가는 더더욱 그랬다. 모든 것에 어색해져버린 나를 보며 나는 여태껏 같은 것에 익숙해져 너무 편하게 산건 아니

였나 생각하게 되었다. 그러나 뭐 어쩌겠는가. 해내야지. 그렇게 난 살면서 처음으로 국어 수행평가를 구술로 쳤다. 5시간의 수행평가, 불행 중 다행은 5시간 중 반은 글로 써내는 것이기에 나름 익숙하게 해냈다. 남은 건 구술이다. 수행을 구술로 친다는 말에 이미 넋을 놓고 있었기에 나는 내가 무슨 말을 했는지도 의문이다. 정말 아무것도 기억나지 않는다. 그러나 국어와 구술은 나름의 매력이 있었다. 그래서 나에게 이런 과제르 중 당신에게 고마웠다.

' 수행평가를 잘 쳤는지까지는 모르겠지만 설령 수행이 망했다 하더라도 쌤한테 여전히 고마워할거에요.'

수행을 끝낸 후 망했음을 직감했지만, 성적이 나온 후 저 순간의 나를 다시보니 너 나름 괜찮았을지도 모른다고 이야기해주고 싶어졌다. 그렇게 나의 다섯시간은 나에게 여탯껏 생각해보지 못한 의문을 불러왔다.

‘국어가 언어라서 좋다고 이야기하면서 정작 단 한 순간도 언어로 마주하지 않았을까..’

국어를 언어로 가르치고자 교사를 하겠다고 다짐했지만, 국어에서 가장 필요한건 구술이라고 생각하지 못했다. 그러면서 무슨 교사를 하겠다는 걸까. 나는 한동안 내가 살아왔던 삶과 살아가야 할 삶 가운데 서있었다. 그리고 내 생각과 마음을 말로 전하는건 생각보다 쉽지 않은 일이었다. 그것이 내가 늘 말보다 글로 마음을 전해왔던 이유인 것이다. 난 그저 익숙함에 당연해져 앞으로는 한발도 나아가지 못하는 사람이었다. 그래서 지금부터는 모두에게 말로 다가갈 수 있는 사람이 되고 싶었다.

신명학사

야간자율학습, 늘 말로만 듣던 자습을 어느샌가 내가 하고 있었다. 모두가 귀찮지 않냐고, 집에 가서 하라고 이야기하지만 자율위원으로 정독실을 정리하는 것도, 9시가 넘도록 학교에 남아 있는 것도 나에는 나름의 즐거움이었다. 물론 공부하는 게 즐겁다는 것은 아니다. 나도 공부는 재미없다. 그러나 아이들과 함께하는 순간은 반복되는 하루 속에서 가장 빛난다. 매달 바뀌는 석식권의 색이 무엇일지 이야기하고, 오늘도 왜 내가 이곳에 있는지 의문이망하며 보내는 하루는 우리를 단단함으로 이끌었다. 하루하루 귀찮음을 안고서도 또 정독실로 향하는 우리 반 아이들을 볼때면, 안타까우면서도 아이들의 끈기와 열정이 대견하기도 했다. 그리고 야자가 끝난 후 우리반 아이들을 보며 외치는 한마디는 왠지모를 뿌듯함을 가져다 주었다.

" 5반, 수고했으요. 다들 무사 퇴근하거라!!"

늘 나의 퇴근 메세지에 웃으며 하교하는 아이들의 모습은 야간자율학습 시간에 볼 수 있는 가장 사랑스러운 아이들의 모습이다.

또한, 야자의 숨겨진 묘미는 매일 바뀌는 야자감독 선생님들이다. 아무런 기대 없이 올라간 정독실에서 나의 최애 선생님들을 만날때면 그것만큼 행복한 순간도 없다. 때때로 야자가 끝나기 몇분전, 복도에 울려퍼지는 열쇠의 짤랑거리는 소리는 선생님들의 간절한 퇴근을 이야기하는 것 같아 미소가 지어지기도 한다. 야자 후, 서로에게 수고했다는 인사를 건네고 집으로 향할 때면 오늘 하루를 잘 살았다고 증명받는 기분이다. 그렇게 나는 오늘 또 한번 학교라는 공간의 즐거움을 알아가는 중이다.

우리가 가까워지는 시간 100분

선생님들이 나를 부를때면, 내심 기분이 좋으면서도 버릴 수 없는 긴장감이 있다. 오늘도 그런 날이었다.

“예은아, 10분 뒤에 4:50분에 와”

오늘 당신에게 불릴걸 알았지만, 불림과 동시에 긴장되는 건 어쩔 수 없나보다. 그렇게 나는 당신에게 향했다. 당신과 이렇게 마주앉아 있는게 벌써 두번째이지만 난 여전히 어색함에 휩싸였다. 이번이 더 어색했던 이유는 나에게 해야 할 말이 있었기 때문이다. 상담이 다가오며 나는 1주일 내내 생각했다. 내가 이야기 할 수 있을까 하지만 이야기 해야 했다. 그리고 그냥 내뱉었다.

"쌤.. 근데.. 저 교사하고 싶어요"

잠깐의 정적이 있었지만 뭐 예상한 일이었다. 그래도 내 말에 웃어주는 당신이었기에 1주일 동안 품고있던 짐을 조금은 덜 수 있었다. 내 꿈이고, 내 삶인데 무엇을 그렇게 걱정했던 것일까. 아무래도 그 망설임의 가운데에는 저버릴 수 없는 현실이 있다고 여긴다. 내가 좋아하는 일을 하겠다고 마음먹었지만 그 속에서 나도 모르게 주위를 의식하고 있었던 듯 하다. 나의 한 마디로 우리의 대화는 학교생활에서 '교사'로 바뀌었다. 당신이 교사이기 때문일까, 나는 당신과 '교사'라는 존재를 담의하는 것이 내심 즐거웠다. 누군가와 공통의 주제를 나눈다는 것은 서로를 더 가까이 만들었다. 그렇게 나는 멀게만 느껴졌던 당신에게 한 걸음 다가갔다. 그리고 멀리서는 볼 수 없었던 당신의 따스함을 찾았다.

"교사도 잘어울린다."

나는 몰라보고 있었다, 당신이 나를 이렇게 지지해줄 수 있다는 것을.

왜 하필이면..

세특을 챙기기위해 학교는 다양항 활동을 만들고, 그 활동은 대학을 위해 쓰여진다. 북멘토링의 첫 목적도 그러했다. 하지만 책을 받아드는 순간 나는 어떠한 목적으로 그 글을 읽고 싶지않았다. 책을 받아든 나는 수십번이고 제목을 다시 읽었다. 그 제목에는 어딘가 모를 아픔이 있었다.

'나는 매주 시체를 보러간다'

그 아픔은 누구의 것일까. 나는 그 아픔이 꼭 당신의 것인것 같았다. 이토록 아름다운 당신이 되기까지 얼마나 많은 아픔이 있었으리. 당신의 앞에서는 또 한마디도 못할테지만, 난 당신이 괜찮았으면 한다.

삶이란 모두에게나 어렵고, 죽음은 누구에나 두렵다. 그래서인지 죽음을 이야기하는 글을 볼때면, 꼭 물어보곤한다. 왜 죽음을 읽고자했는지, 왜 죽음을 쓰고자했는지 말이다. 질문의 대답은 다양하지만 그 결은 모두 같다. 자신이 겪은 아픔이 있어서이다. 죽음이라고 하면 자신의 삶이 힘들거나 어려울때 찾는 느낌이 많다. 그래서 당신이 선택한 책일까 두려움이 앞선다. 사회라능 곳은 그다지 친절하지 않다는것을 알기에, 늘 조금 더 배워야한다는 말을 하는 당신이기에 당신의 모습이 부족하다고 느낄 것 같아 늘 미안한 하루다. 그러나 그러지않았으면한다. 당신이 제일 잘 해내고 있다. 그저 매일 교단에 서는 것 만으로듀 충분히 잘 해내고 있다. 그럼에도 모든일을 늘 웃

으며 해내는 사람이라. 마음 속에는 그 누구도 모르는 아픔이

있을 것만 같아 오늘도 나의 눈은 당신을 따라다닌다.

여전히, 신명

처음이라는 설렘이 가득하던 3월, 초록의 푸르름이 피어나던 4월, 수행평가로 채워진 5월, 함께라 즐거웠던 6월과 7월. 나는 여섯달을 신명과 함께 했고 여전히 신명이다. 처음에는 어색하기만 했던 '신명'이라는 이름도 더 이상은 어색하지 않게 되었다. 나보다 나를 더 잘아는 친구들도, 성명에서만 즐길 수 있는 행사들은 없지만 그래도 신명은 늘 신명나는 곳이다. 그리고 이제는 하루의 절반 이상을 함께하는 친구들과 돌림 노래 처럼 다가오는 모의고사와 함께한다. 가끔은 여전히라는 말보다 아직도라는 표현으로 신명을 이야기 하곤하지만 그래도 나에게 신명은 아직도의 마음 보다는 여전히의 마음이 더 크게 다가온다. 그렇게 나는 오늘도 '신명인'으로의 하루를 살아가는 중이다.

앞으로도, SM

SM, 이제 나를 설명하기 위해서는 빼놓을 수 없는 단어이다. 아마도 내가 기억할 수 있는 학창시절은 다 성명과 신명에서 비롯되지 않았나 싶다. 누가 들으면 소속사 이름 같은 이 곳에 나는 벌써 4년째이다. 그리고 4년이라는 시간동안 바라본 SM의 가장 큰 장점은 당신들이다. 한 없이 행복한 날에도, 조금은 우울한 날에도 어떤 순간이든 당신들은 늘 우리와 함께했다. 그런 당신들을 보며 때로는 존경하고, 남들에게 자랑하고, 또 사랑했다. 각자의 방식으로 자신을 찾아가는 당신들과 함께 했기에, 난 어디서는 자랑스럽게 이야기한다.

" 성명, 그리고 신명입니다."

당신들 덕분에 나는 오늘도, 내일도 그렇게 앞으로도 SM으로 세상 살아가고 있을 것이다. 나도 모르게 나는 'PRIDE OF SM'를 외치고 있었는지도 모른다.

늘 그자리에

짧은 글들이지만, 그 속에는 늘 당신과 함께였습니다. 그 순간의 나는 알지 못했지만, 당신은 나의 모든 순간을 소중히 여겨주는 사람이었습니다. 늘 그자리에서 아이들과 함께 걸어가고, 그 아이들을 이끌어 가고, 때로는 믿고 바라보며 나의 모든 날들을 응원해주는 사람이었습니다. 그래서인지 내가 어른으로 성장하는 과정은 당신 없이 이야기 할 수 없을 것 같습니다. 내가 사회로 발돋움하는 순간은 비로소 당신이 있어야만 완벽할 수 있는 것이니까요. 그렇게 '교사'라는 이름으로 늘 그자리에 서 있는 당신을 볼때면, 나는 그 따사로움과 포근함에 취해 이 순간이 영원하길 바랍니다.

나는 (   ) 교사입니다.

나는 (   ) 학생입니다.